MINI CURIOSOS MONTAM
os animais

Mini curiosos montam os animais

Suzana Ferreira e Danilo Prates

Ilustrações:
Lorota

Toyart:
Marcos Paulo Drumond

LUME livros

ÍNDICE

camaleão 6
baleia azul 8
girafa 10
polvo 12
elefante 14

VAMOS MONTAR!

instruções 16
camaleão 21
baleia azul 23
girafa 25
polvo 27
elefante 29

por que tem tanto bicho diferente no mundo?

Você já reparou que uns são enormes, outros pequenininhos? Uns têm pescoço nas nuvens, outros têm perninhas bem curtas?
Tem uns que gostam de calor, outros só são felizes na água. Como o mundo é cheio de animais diferentes e interessantes!

Este livro também é bem diferente: aqui você vai conhecer alguns animais bem interessantes que dividem o mundo com a gente, e, depois, com a ajuda da família ou dos amigos, pode montar cada um deles também.

vamos começar?

Existem camaleões de vários tamanhos: uns são pequenos como um palito de fósforo, outros são grandões, do tamanho de um cachorro.

O camaleão adora comer insetos e usa sua língua, que é enorme, com uma ponta grudenta, como um estilingue para pegar o almoço.

baleia azul

A baleia azul é o maior bicho do mundo. Tudo nela é gigante:

Sua língua é mais pesada que um elefante inteiro e seu corpo é do tamanho de um prédio de 10 andares!

Quando o bebê baleia nasce, ele só bebe o leite da mãe.

Apesar de grandona, a baleia só come *krill*, uns bichinhos bem pequenos.

A baleia não tem dente, a boca dela tem uma espécie de vassoura onde o *krill* fica preso.

Mesmo vivendo no mar, a baleia não é peixe: ela é um mamífero como os cachorros, os elefantes e a gente.

As baleias também respiram ar. Para facilitar a vida delas, o nariz fica bem no alto do cocuruto. Assim ela consegue respirar sem nem sair da água.

Apesar de enorme, a baleia azul não faz mal para ninguém. Tudo o que ela quer é viver em paz nadando, cuidando dos filhotes e comendo *krill* no fundo do mar.

girafa

A girafa é o bicho mais alto de todo o mundo, ela vive com a cabeça nas nuvens.

A girafa demora um tempão para deitar e levantar e, se tiver algum perigo, como um leão, não vai ter tempo de fugir.

Todo mundo repara no pescoção da girafa, mas as pernas dela também são muito legais. Elas são enormes e fortes, e o joelho da girafa tem uma trava especial para ela conseguir dormir em pé.

Por isso, ela costuma dormir em pé, com o pescoço apoiado em um galho de árvore.

O pescoço da girafa é da altura de uma casa. Ela poderia espiar numa janela no segundo andar!

As manchas na pele da girafa fazem ela se misturar com as plantas que estão em volta, aí um leão não consegue ver onde é o arbusto e onde é a girafa.

Mas a girafa não é bisbilhoteira, ela usa o pescoção para alcançar as folhas mais gostosas lá no alto das árvores.

E essas anteninhas no cocuruto da girafa?

Elas são enfeites, que podem até ser meio engraçados para a gente, mas as outras girafas acham lindo.

11

polvo

O polvo é um bicho esquisito e esperto que vive no fundo do mar.

Como ele não tem osso, é todo mole e consegue se esconder em uns lugares bem espremidinhos.

O polvo quase nem tem corpo, é só uma cabeçona com 8 braços bem compridos presos nela.

O polvo faz um monte de coisas com esses braços todos: nada, acha comida, fica grudadinho em uma pedra e até abraça a namorada.

Às vezes, o polvo perde um braço por aí. Mas ele nem liga. Depois de um tempo, nasce outro novinho no lugar!

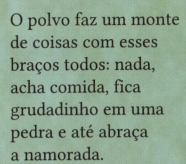

O polvo também é um pouco camaleão: a pele dele muda de cor, e como ele é muito mole, consegue fingir que é uma alga, uma pedra e até um outro bicho.

O polvo carrega uma bolsinha de tinta dentro dele. Se um tubarão chegar perto, ele solta um pum bem fedido e cheio de tinta escura. Isso faz qualquer bicho fugir rapidinho!

elefante

A tromba é o nariz do elefante e ela é muito mais legal que o nosso nariz.

É com ela que o elefante toma água,

pega nas coisas e faz carinho em outros elefantes,

e ela ainda faz barulho! A tromba faz um som de corneta que os outros elefantes conseguem ouvir bem de longe.

O elefante é o bicho mais pesado que anda por aí: ele pesa o mesmo que um caminhão dos grandes!

Os elefantinhos também não são nada *inhos*. Eles já nascem com o mesmo peso de uma pessoa adulta.

Para manter o corpinho, o elefante tem que comer muito. Ele almoça, janta e lancha quase o tempo todo, mas só plantas. Tudo que é verdinho deixa ele com água na boca.

O elefante adora tomar banho de água e lama, que ajuda a proteger sua pele do sol e das picadas de alguns bichos.

E os elefantes adoram ficar juntos uns dos outros e podem até ficar amigos de outros bichos, como um cachorrinho.

vamos montar!

Aqui está uma lista do que você vai precisar para montar seus animais!

(E não esqueça de pedir uma ajudinha para algum adulto amigo.)

você vai precisar de:

 BASTANTE CURIOSIDADE! isso você já tem, né?

 cola transparente ou cola branca.

 um palito de churrasco ou de fazer unha, sem a ponta (é só bater a ponta no chão).

 um papel (ou revista ou jornal velhos) para proteger a mesa ou o chão.

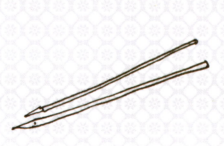
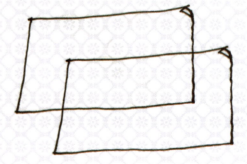

Tudo pronto para começar!

Siga estes passos na ordem para dar tudo certo:

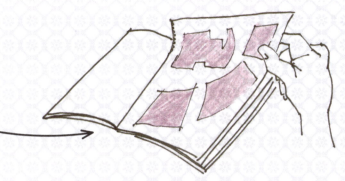

1. Cada um dos bichos vem separado em pecinhas na página, mais ou menos assim. Comece destacando a página que você vai montar.

2. Depois, você vai destacar as peças da página. Você vai ver que onde tem que dobrar já está mais molinho. Reforce um pouco essas dobras, vai ajudar na hora de colar.

3. Dos dois lados das peças que você separou tem letras com números. Cole o A1 da frente no A1 do verso e continue dessa forma - A2 com A2, A3 com A3 - até a sua peça estar montadinha.
(não esqueça de proteger a mesa com aquele papel!)

 Dica! Quando você colar duas abas da peça, segure-as juntas até a cola secar bem, e só aí passe para as próximas abas.

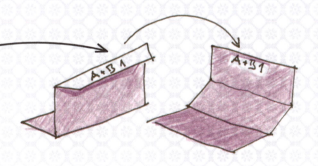

4. Você vai notar que sobraram umas abas marcadas com duas letras e um número como, por exemplo, **A+B 1**. Esse é ponto onde a peça "A" vai encontrar a peça "B". Na peça B também tem a mesma marcação, e você vai colar umas nas outras - mas tem uma ordem certa!

 Dica! Conforme você for fechando a sua peça, pode ficar difícil manter as abas juntas enquanto a cola seca - use o seu palito para alcançar essas abas mais escondidinhas.

Vire a página para continuar.

para juntar tudo:

Agora que você tem todas as peças do seu bicho montadinhas, só falta colar umas nas outras para ele ficar pronto.

> ! Mas atenção, cada bicho tem uma ordem certa para unir as peças, como está marcado aqui:

camaleão

nível de dificuldade: difícil

MONTE AS PARTES ASSIM:

1. **RABO/CORPO:** cole as pernas (C/D) nas costas do camaleão (A), depois feche o corpo colando a barriga (B).

2. **CABEÇA:** encaixe e cole os olhos (E e F) por dentro da peça G (cabeça).

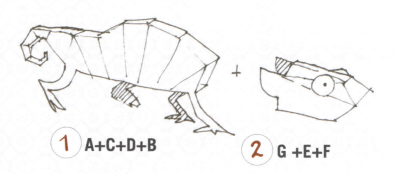

① A+C+D+B   ② G +E+F

{ Com todas as partes do bicho prontas, cole o RABO/CORPO na CABEÇA. }

baleia azul

nível de dificuldade: médio

MONTE AS PARTES ASSIM:

1. **RABO:** cole a peças A e B na C (veja o desenho ao lado).

2. **CORPO:** Cole as peças E e F, elas formam o centro do corpo, que é quase um tubo. Depois, cole a peça D na E/F, a G na E/F e a peça K (parte de cima da cabeça) na G. Por último, cole o esguicho (I+J).

3. **MANDÍBULA:** peça K.

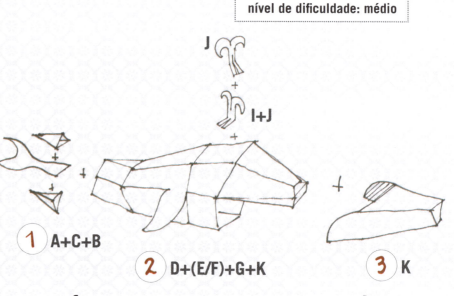

I+J

① A+C+B   ② D+(E/F)+G+K   ③ K

{ Com todas as partes do bicho prontas, primeiro cole o RABO no corpo e, depois, cole a MANDÍBULA no CORPO. }

girafa

nível de dificuldade: fácil

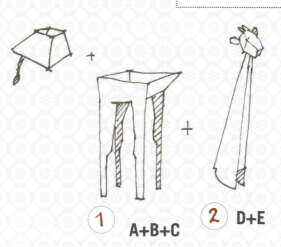

MONTE AS PARTES ASSIM:

1. **RABO/CORPO:** cole a parte A na B e, depois, feche o corpo com a parte C.
2. **CABEÇA/PESCOÇO:** cole a peça D na E.

1 A+B+C   2 D+E

{ Com todas as partes do bicho prontas, cole a CABEÇA/PESCOÇO no CORPO. }

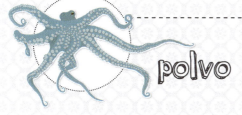
polvo

nível de dificuldade: difícil

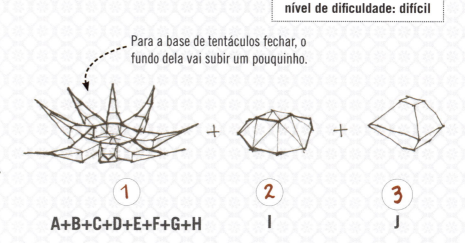

Para a base de tentáculos fechar, o fundo dela vai subir um pouquinho.

MONTE AS PARTES ASSIM:

1. **TENTÁCULOS:** são as peças de A a H - cole uns nos outros, formando uma coroa.
2. **PESCOÇO:** peça I.
3. **CABEÇA:** peça L.

1 A+B+C+D+E+F+G+H   2 I   3 J

{ Com todas as partes do bicho prontas, cole primeiro a coroa de TENTÁCULOS no PESCOÇO e, depois, a CABEÇA no PESCOÇO. }

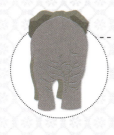
elefante

nível de dificuldade: fácil

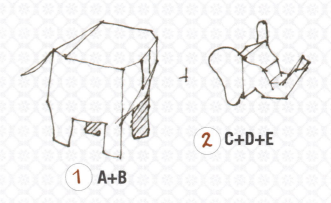

MONTE AS PARTES ASSIM:

1. **CORPO:** cole a peça A na B.
2. **CABEÇA:** Primeiro, cole a peça D (tromba) na cabeça (C). Depois, cole o pescoço (E) na cabeça (C).

1 A+B   2 C+D+E

{ Com todas as partes do bicho prontas, cole a CABEÇA no CORPO. }

19

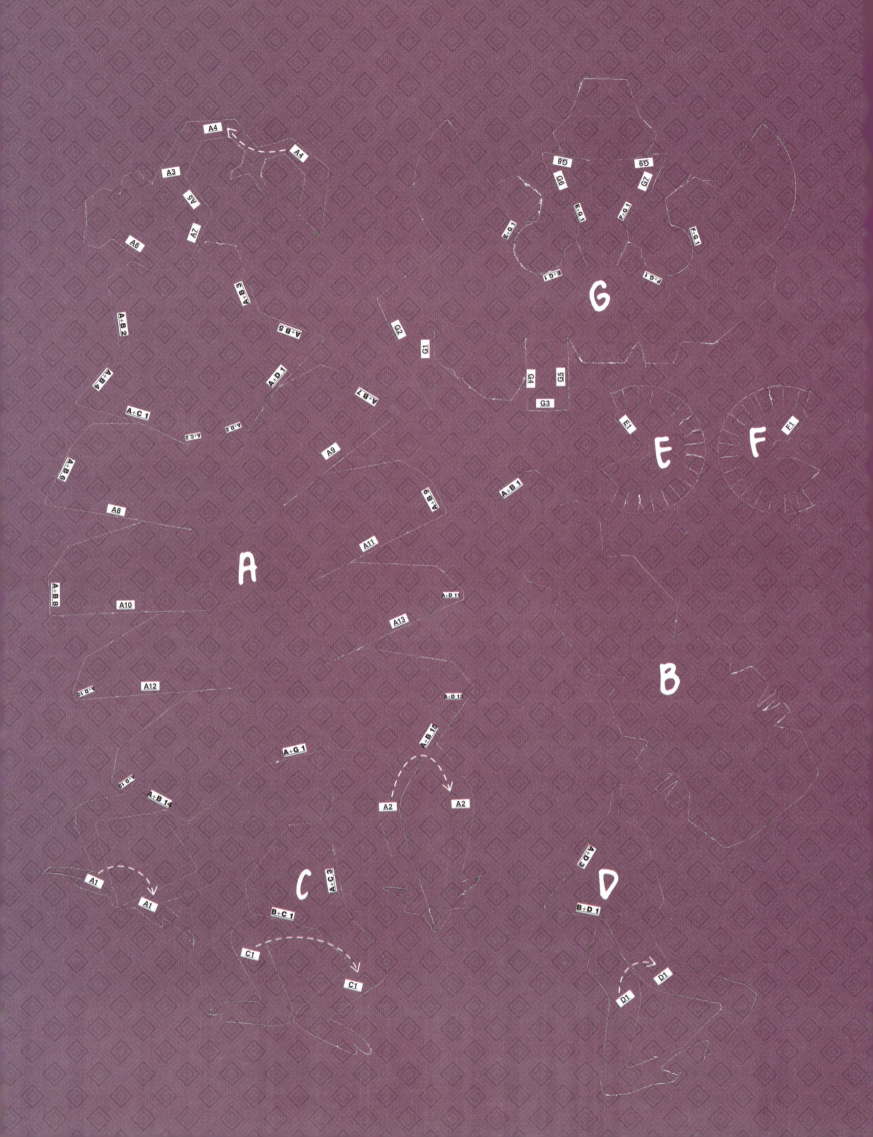

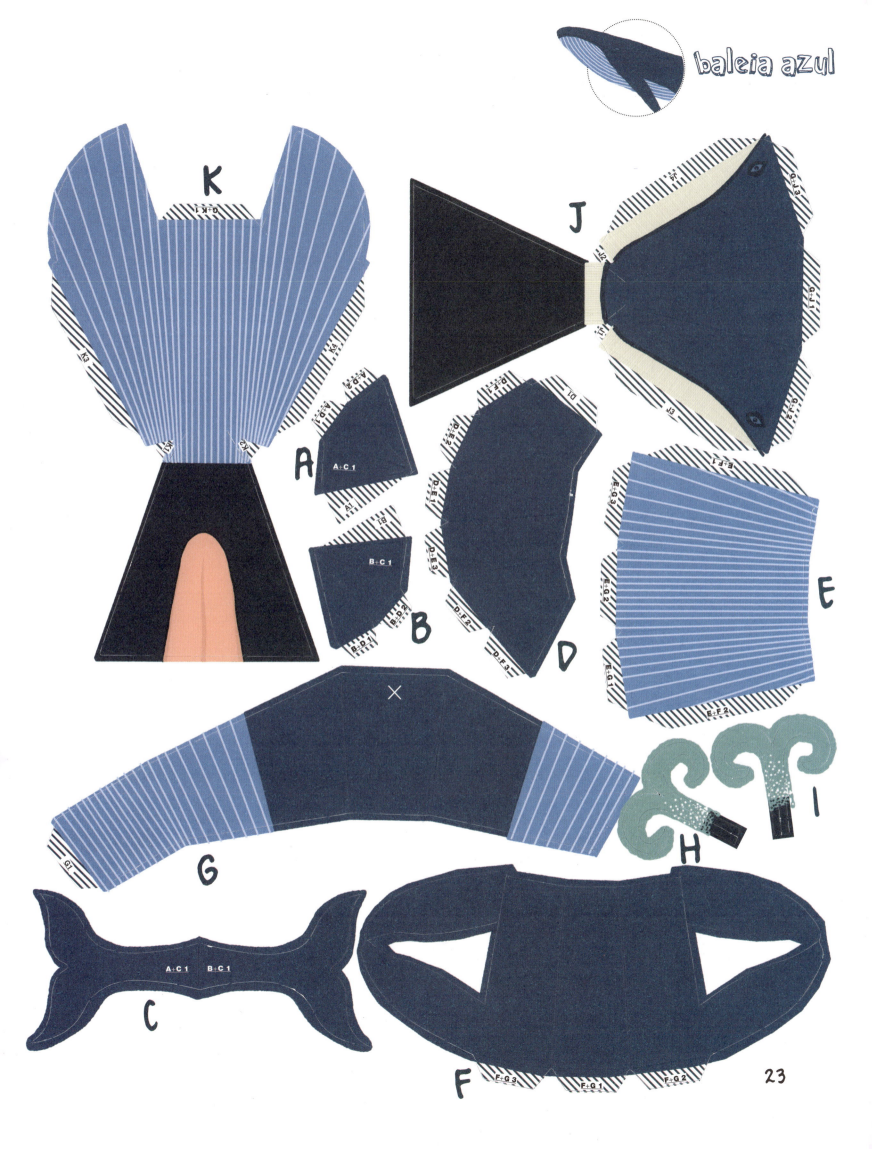

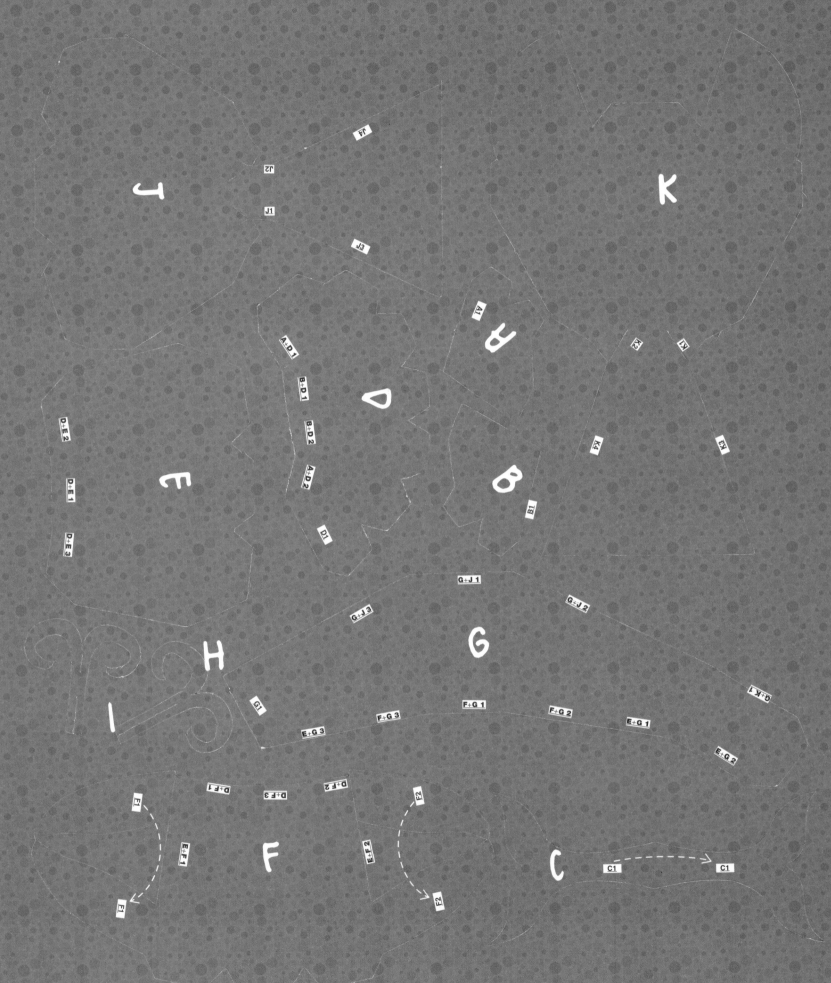

polvo

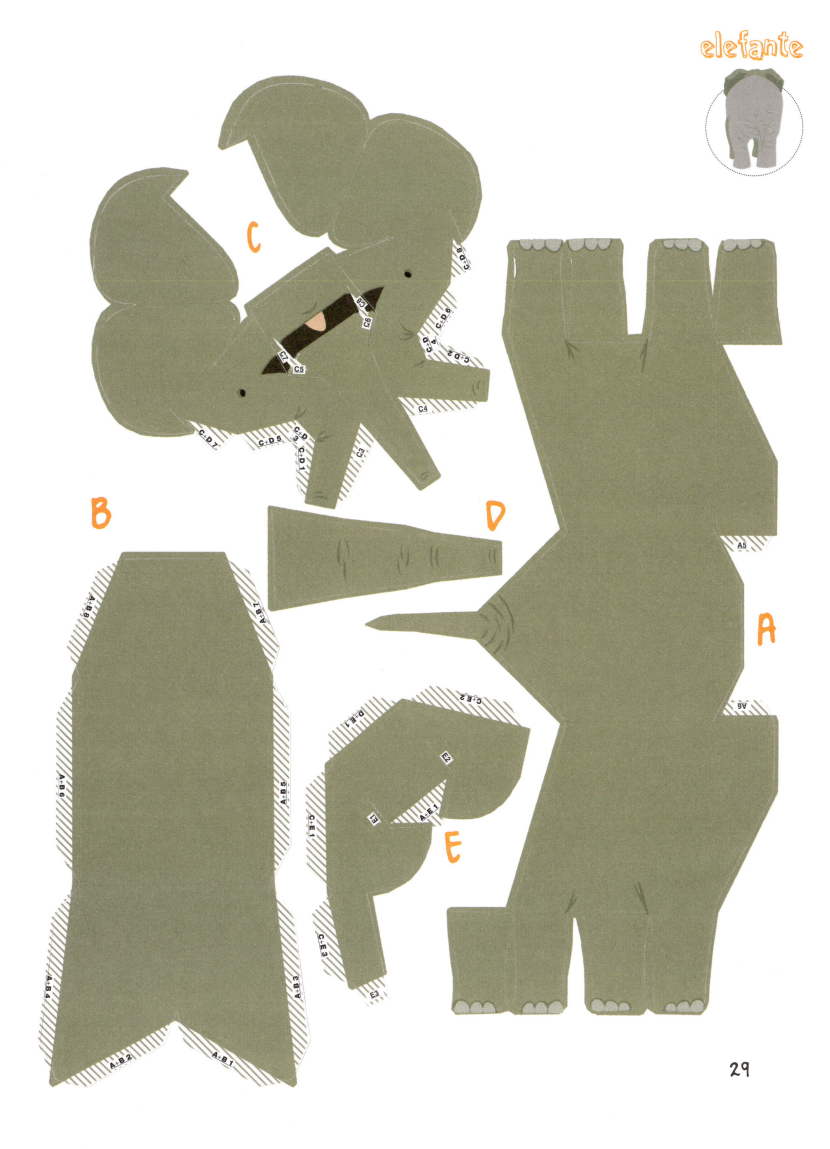

Copyright © 2016

Texto: Suzana Ferreira e Danilo Prates
Ilustrações: Lorota
Toyart dos bichos e instruções: Marcos Paulo Drumond
Projeto gráfico e diagramação: Ainá Calia
Capa: Ainá Calia e Lorota
Revisão de texto: Marina Kater-Calabró

Dados Internacionais de Catalogação na Publicação - CIP

383

    Ferreira, Suzana; Prates, Danilo
Mini curiosos montam os animais / Suzana Ferreira e Danilo Prates. Ilustração de Lorota. Toyart de Marcos Paulo Drumond. – São Paulo: Lume Livros, 2016. (mini curiosos montam)
32 p.; Il.

    ISBN   978-85-919672-3-0

    1. Animais. 2. Literatura Infanto-Juvenil. 3. Arte. 4. Diversidade Animal. 5. Camaleão. 6. Baleia Azul. 7. Girafa. 8. Polvo. 9. Elefante. I. Título. II. Os animais. III. Série. IV. Ferreira, Suzana. V. Prates, Danilo. VI. Lorota, Ilustradora. VII. Drumond, Marcos Paulo, Toyart.

    CDU   82-93
    CDD   028.5

Catalogação elaborada por Ruth Simão Paulino

Impresso na gráfica RR Donnelley

Primeira edição, Setembro de 2016
Proibida a reprodução no todo ou em parte,
por qualquer meio, sem autorização do editor.
Direitos exclusivos da edição em língua portuguesa no Brasil por:

Lume Livros Editora Ltda - ME.
Rua Sebastião Rodrigues 303 - Vila Madalena
CEP 05451-060- São Paulo - SP
Tel. +55 11 37914719
contato@lumelivros.com
www.lumelivros.com

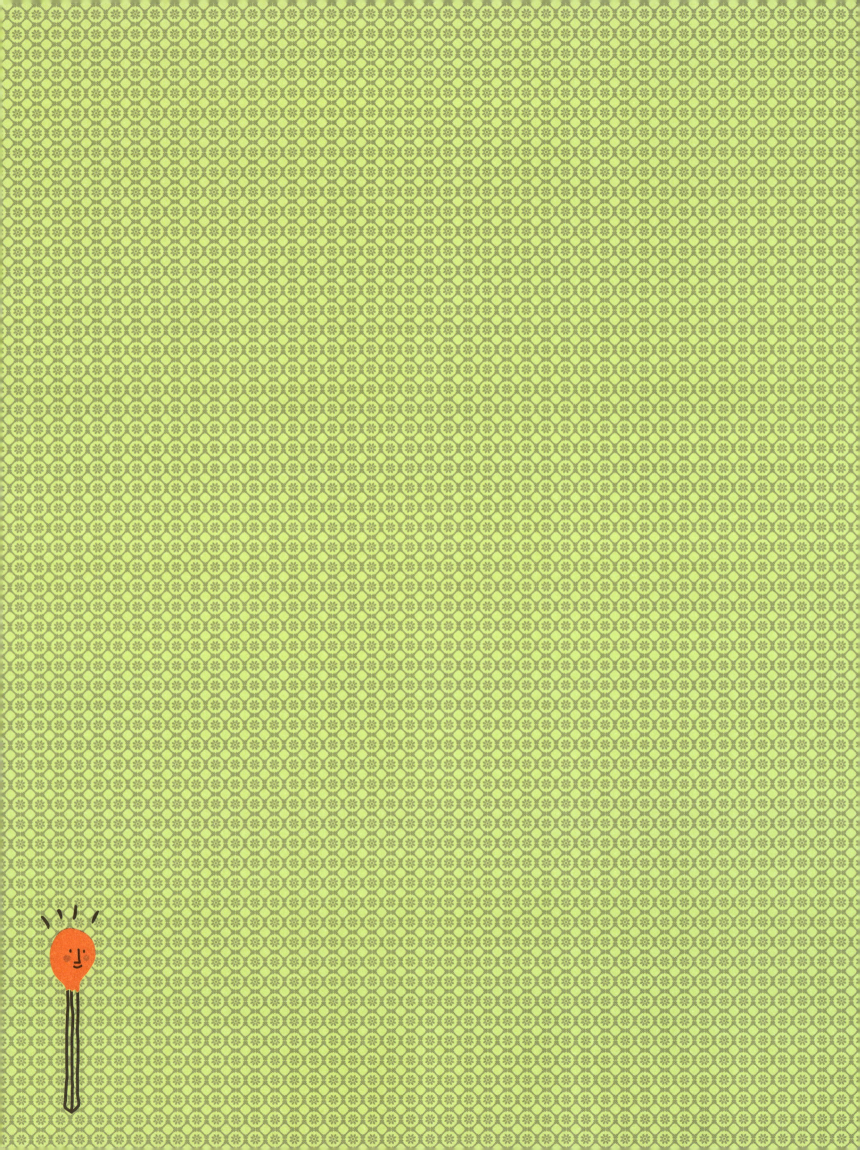